주문은
토끼
입니까?
Volume
11
Is the order a rabbit?
Koi
마음까지
기르다

Characters
Syaro
Fuyu
Rin
Aoyama
Cocoa
Yura
Rize

Chiya
Megu
Elu
Chino
Natsume
Maya

그렇구나. 정신을 차려보니 미아가 됐단 말이지?
샤라라 ~☆
후두둑
!!
이제 집에 못 가….
나 혼자 살아가야 해….
그렁 그렁
자, 그만 뚝.
아! 잠깐 손 좀 내밀어 볼래?
마법사야?!
맞아!
그러니까 코코아 가족을 찾아 줄게.

가게가 정말 많다.
코코아는 크면 뭐가 되고 싶어?

우물
우물
으음, 마법사나…
언니….
그렇구나!

그럼, 주문을 걸어 줄게.
언젠가 마법사 같은 언니가 되게 해주세요.

이것도 마법?!
맞아!
따라 해도 돼.

코코아~!
찾았다!!

차암, 걱정했잖아!
엄마가 놓쳤으면서.

고마워, 우사기…!
아냐, 같이 산책도 하고 즐거웠어.

앗, 깡충깡충 토끼다~.
앗, 또.
새앵~

애가 기운이 넘치네~. 다른 애들은?
저쪽에
모카랑 케이, 이츠키는 아빠랑 같이 있어.

엄마, 마법사가 여기까지 나 데려다 줬다?
뭐?!
그런 걸로 해뒀거든.

마법이 아니라 트릭이겠지.
내가 있을 만한 곳을 아니까.
하여간 초코는 너무 현실적이야~.

마법은 누구나 쓸 수 있다구.
의식을 못 할 뿐이지.
또 그럴싸하게 말한다~.
쿡쿡

코코 언니…!
코코 언니, 정신차려…!

에…
에잇!!

어…? 후유? 나 잠든 거야?
차암… 흰 눈 뜨고 자서 큰일 난 줄 알았잖아.

치노라면… 이렇게 깨우지 않을까 했지.
정신 차리십시오
코코아
아마 그럴지도.

처음 이 동네에 왔을 때의 꿈을 꿨어.
내가 미아가 됐을 때 안내해준 언니가 있었는데… 왜 잊고 있었을까.

기억이 났으니 답례…를 할 수 있겠네!
그 사람을 찾자!
그렇군!
가만, 특징이….

음….
응?

…무슨 얘길 했는지도 생각이 안 나.
어라?
설마 내가 때린 충격으로? 미안.
그런 건 아냐.

저기, 답례라기엔 좀 그렇지만…
이 동네로 오기 전
난 코코 언니 말에 용기를 얻었어.

그러니까… 고마워, 코코 언니.
후유 …!

오늘은 치노랑 같이 안 다니네?
그만 산책하다 놓쳤지 뭐야.
뭐? 나 아까 봤는데….

낯선 어린애랑 같이 있었어.
?!

이 동네서 못 보던 얼굴이군. 관광 온 아이인가?
응
그래서 말 걸기가 좀 그래….

젤라토도 같이 먹는다.

여긴 내가 맛있다고 알려준 가게야~.
치노도 참, 전혀 관심 없어 보이더니.

내가 아니어도… 저렇게 정성껏… 안내를 해주는 구나….
후유도 젤러시 그만하고 젤라토 먹을래?!

난… 심부름 부탁 받아서 이만 가봐야 해….
크
저런! 뒤는 내게 맡기고 가봐!
나중에 보고해줘.
응, 알았어!

코코아♡
펄
쩍
안녕.
히이익.

안녕.
나츠메랑 에르, 두 사람도 산책 중?
응!
뜬금 없지만 부탁이 저기, 있어….

저 불길하고 귀여운 토끼가 궁금한데
다가갈 용기가 안 나서….

코코아랑 같이 가면 괜찮을 것 같아.
에헤헤.
까짓 거 쉽지!
하는 김에 동네 탐험 투어 안 할래?
할래!!

참고로 내 투어는 원래 장소로 돌아온단 보장이… 없어!
바로 길을 잃으니까
스릴 만점.
두
웅

그 알바 부럽다
비밀로 해줘
내용물은 리제?

Caf
aux fleu
코코아네다
방해하지 마

아~ 부러워~~
치사하게~
마야!
메그~~

얘들아~
미도리 선배!
아오야마 씨다

오늘은 이거 타고 돌아갈게♪
고마워, 코코아.

꽤나 즐거운 길 안내 던데요?
빼꼼
치노?!

동생들이랑 즐거웠던 건 피차일반 아닌가?
사돈 남 말 하지 말지?

…예?
농담이야♪

헤~
역시 관광 왔다 길 잃어버린 애들 도와준 거구나?
안내를 잘한 거면 좋겠습니다만….
분명 맘에 들어서 언젠가 다시 올 거야!

치노는 내가 모르는 새 점점 성장해 가는 것 같아….
아, 아닙니다. 전 그냥
안심 시키는 것만으로 벅찼는 걸요?

게다가 전에도 말했다시피 전 누구 흉내를 내는 것 뿐이고요.
글쎄, 그게 누군데?
진짜로 몰라서 묻는 겁니까?
힌트는?
~옥.

'마법사' 입니다.

앗!! 왠지 닮았어!
누굴요?!

내가 옛날에 이 동네 처음 왔을 때 일 얘기 했던가?
네, 한참 전에….
그때 같이 다니며 두근거리게 해준 언니!

그러니까… 고마워!
그걸 저한테 말하면 어떡합니까.
왠지 그냥?

오늘은 손잡고 가자♪ 놓치지 않게!
챠암
애도 아니고.

같이 가, 마야.
헉 헉
메그, 빨리 와!
슥
하여간 애도 아니고.
애면 좀 어때.

간만의 방과 후 치마메 모임이라고!
고등학생이 된 뒤로 처음 하복 입고 모이는 건데 설레지 않아?

그럼, 진정되게 옳지옳지 해줄게.
잔털 쓰담쓰담~
나츠메?!
내가 애냐?!
아까랑 말이 다른데?

메그, 안녕~.
에르.
두 사람은 오늘 뭐 해?

두
웅
브라이트 버니의
알바 면접!!

부모님 연줄이면 바로 채용 아냐?
그런 짓은 하고 싶지 않아.
실력으로 승부를 내야지!

큭
반짝 반짝
왠지 멋지다….
어른 같아…!

마야, 메그!
치노!!

하복 완전 신선해~!
폴짝 폴짝
본인들도 입었잖습니까.

그리고 좀 어른스러워 보입니다.
불쑥
난… 싫어….

성장은 기쁘지만, 아직은 작은 채로 있어 달라고~!!
뿌애앵
꾸웩
코코아.

왠지 다들 키가 커진 것 같아.
아무래도 같이 지내면 잘 알아 채기 힘들지.

응… 눈높이가 높아진 기분이야….
슬픈 듯이 말하지 마십시오.

앙
증
걱정 마, 코코아!
난 치마메 중에서 아직 작으니까!
마야…!

와락
헤헤
작아도 마음은 네가 제일 커!
참 야무진 애야♪
그냥 응석이 능한 거지.

코코아가 너무 애 같아서 미안합니다.
근데 최근에 진로도 정했다며?
생각 많이 했나 보네.

뭐, 조금씩 바뀌긴 하지만요….
우린 몇 년 뒤 어쩌고 있을까?
일단 난ㅡ

리제처럼 멋진
슈퍼 마야가 될 거야.
COOL

정상은 높아야 오를 맛이 나지.
이상은 높을수록 좋다고 생각합니다.
그냥 말해본 건데!

변했다니 말인데 메그, 봄부터 머리 모양이 바뀌었죠?
말 돌리지 마.
응
이미지를 바꾸고 싶기도 했지만, 무엇보다…

리제를 의식한 것도 있어… 트윈테일.
금시 초문!!

리제는 졸업했으니까 샤로가 조금이라도 슬프지 않게 하려고.
샤로를 위해서였냐?
정작 당사자는 알까요?

둥
좀 더 각잡힌 태도를 취하는 게…
좋을까?!
메그는 있는 그대로가 좋습니다.

이 중에선 치노가 제일 어른인가?
어릴 때부터 일도 했고.
그러고 보니 치노도 머리 모양이 바뀌었네?

이… 이건 코코아가 매일 아침 해주는 거라….
소원 빌기 같은 거랄까요?
자매다.

내가 너무… 어린애 같습니까?
아니
솔직히 응석 부릴 수 있는 것도 마음의 큰 변화야.
응석?!
치노랑 메그 모두 의식이 바뀌다니 굉장하다.

쿠웅…
어? 그럼 외모도, 내용물도 제일 변하지 않은 건
나네.
갑자기 자학?!

하다못해 리제랑 나란히 서도 어울릴 만큼 멋있어지고 싶었는데….
침울…
그렇게 진지했습니까?
아까 농담해서 미안해.

괜찮아.
그렇게 될 수 없다는 건 알고 있으니까.
마야….

주문하신 메뉴 입니다.
달칵
왔다~!!

역시 배가 고프면 사소한 일로 부정적이 된다니까.
아
웅
먹으면 낫는 정도의 고민.

이거 먹는 순서가 궁금해서 상급반 언니들 흉내 낸 적 있었지?
매너는 서로가
즐기기 위한 것
맞아.
그땐 리제의 말에 큰 도움을 받았습니다.

이거 먹는 순서를 꼭 지켜야 해?
글쎄….
힐끔
이젠 우리가 본보기가 됐어.

누가 보니 긴장 됩니다…!
하, 하다못해 선배답게 품위를….

뭐든 즐겁게 먹으면 장땡이야!
!!
돌직구.

답답한 건 취약이라
난 리제처럼 스마트하게는 못해.
아뇨, 덕분에 살았습니다.
크림이 손에 묻어서 씻고 올게!

방금 조가 선배였지?
짝
짝
지금 따라가면 얘기해볼 수 있을까?

인기가 많군요, 마야. 구기대회 때도 팬이 있더니.
친근한가 봐.
인기가 넘 많아지면, 나중에 먼 존재가 될 것 같습니다.

뚜――웅…
…그치만 마야를 제일 잘 아는 건 나다, 뭐.
헐, 삐친 겁니까?

방금 메그, 애 같았습니다.
마야한텐 비밀이야!
?
뭔데, 뭔데? 무슨 얘기 했어?

마야는 마야인 채로 있어 달란 얘기!
마
부릅
리제를 목표로 하지 않아도 멋집니다!

아까 후배한테 말 건 것도 실은 배려해준 거지?
우리를 위해.
?!
?!
고민이 있어도 분위기를 밝게 해주고.

답례 서비스 입니다.
자, 아~앙.
애 취급으로밖에 안 보이거든?

치노, 래빗 하우스에서 또 보자~.
아, 나츠메랑 에르다.

침——울…
면접에 떨어졌어….
그렇게 자신만만 하더니.

역시 연줄로 들어가는 게….
싫어.
떨어진 이유가 뭔지 짐작은 가?
전혀!

설욕하고 말테다!
네버 스톱….
아까의 위엄은 어디 가고….
역시 애들이군.

내,
내가 면접 연습 도와줄게!
!!
메그?!

마야, 먼저 집에 가~.
아빠~
이럴 땐 참 친절하고, 어른스럽다니까.

난 작고, 솔직하지 못하고, 덜렁이라
멋진 어른과는 거리가 멀어….

리제?!
그런 걸 신경 쓰는 거야?
밖으로 들렸어?!

그냥 짐작해서 맞춘 거야.
마음의 소리가 샌 줄 알고 깜짝 놀랐네.

2년 전 여름에도 여기서 상담을 했지.
같은 얼굴이던데?
그건 제발 잊어줘. 지금 이건 성장통이라고!

그때에 비하면 진짜 많이 컸다.
나도 아직 어리니까 너무 초조해 하진 마.

헐, 어느 틈에?!
내용물은 하나도 안 변했네.
OMORINO
Ice cream&Gelato

자!
리제 건 트리플.

내가 쏘는 거야!
나도 알바 시작했으니까 그동안의 답례를 할게.

!!

…멋진 어른이 될지도 모르겠다.
갑자기?!

AMAUSA AN
RABBIT HOUSE
We are Postergirls!
Bright Bunny

점심 시간
치노네도 밖에서 도시락?
코코아 네도요?

치야 도시락 진짜 예쁘다 …!
칭찬 해줘서 고마워.
치노랑 코코 언니는 내용물이 같네?

근데 오늘은 빈 곳이 없어서 돌아가려던 참입니다 ….
나 돗자리 있으니까 같이 먹자.
찬성~♪
왜 코코 언니가 대답을?

매일 같이 도시락을 싸다니… 진짜 사이좋다.
고럼고럼…♡
도시락을 싼건 아빠입니다.

후유는… 작은 베이글 하나가 전부?!
응.
도시에 살 때부터 이랬다고 합니다.

배만 부르면 족하니까….
오물 오물
음식에 대한 집착이 없구나.

근데… 다른 사람 거 보니까 좀 부럽다.
나도… 이렇게 만들어 볼까?

너도 할 수 있어! 재밌어!
오물
글쎄, 이걸 만든 건 아빠라고요.
오물

치야 요리 진짜 맛있다…!
개의치 말고 많이 먹어♪

내 것도 아~.
그건 내 역할이니 혼자 드십시오.
왠지 받기만 하는 것 같네?

근데 기왕 먹일 거면 직접 만든 음식이 좋습니다.
이대로 가다간… 얻어 먹기만 하는 고양이가 될 것 같아.

그럼, 둘이 직접 싸서 교환해 먹는 건 어때?
!!

후유만 괜찮다면 꼭!
…이라고 했지만

꼬~~응…
음식 취향이라도 물어볼걸.
근데, 그럼 서프라이즈 느낌이 없으니까….

카페 조리담당
제빵 장인 지망

꽈악 ——
?
?

도시락 레시피 상의?
일 끝나고 부탁 좀 해도 되겠습니까?

치노 정도면 충분히 잘할 것 같은데.
불안해할 거 없어.

후유가 모처럼 만들어 주기로 했으니 나도 그에 걸맞은 걸 만들고 싶습니다.
그래, 그래.

근데 아빠 도시락에 비하면 너무 부족할 것 같아서….
그 마음 이해해.

친구가 도시락 싸주면 진짜 기대되겠다~.
그럼, 코코아 건 내가 싸줄까?
진짜?!

미리 만들어 놔도 되면 지금 반찬만 준비해 둘게.
나 요즘 가정요리 공부 중이야
아싸! 난 리제표 특제 미트 소스를 뿌린 게 좋아♪

그럼, 리제 도시락은 내가!
아냐, 내일은 선약이 있어.

이미 받기로 한 도시락이 있지.
그런 약속을 했다고?!

치노랑 교환… 해보고 싶다!
…일단 재료를 사러 오긴 했는데….

그동안 남을 위해 요리 하는 데 관심이 없었단 걸 깜빡 했어.
도시락은 뭘 싸면 되지…?!

Pork
어머, 후유도 장 보러 온 거야?
샤로….

도, 도와줘…. 이대로는 치노 도시락에 쌀밥만 싸게 될 것 같아.
?!

정말 지금 배워도 돼…?
마침 나도 내일 도시락 메뉴 고민하던 참이라 도와주고 싶어!

고민이라니… 누구 싸주게?
요즘 리제 선배한테 입시대비 공부를 배우고 있거든.

뭔가 답례를 하고 싶다니까 도시락을 싸달라 더라고.
그런 말을 들으면 힘을 좀 주고 싶잖아.

타앙
그럼, 샤로 도시락은 내가 싸줄게♪
재밌겠다~
갑자기 튀어 나오지 좀 마.

아마우사암 조리실
나한테 상의하지 그랬어.
내 잘못이야. 눈치가 없어서….
치야가 제안한 거구나?

그래서 치노를 위해 어떤 도시락을 싸고 싶은데?
으음… 설명은 잘 못 하겠지만

여는 순간 깜짝 놀라고… 맛있단 소리가 절로 나는…
그런 게 좋아!
생각이 많지? 뭔지 알아!

딱 1개에만 매운 걸 넣어서 러시안 룰렛처럼 하면 재밌지 않을까?
넌 가만히 있어.

다 됐다….
드, 드디어 완성.
처음 치곤 잘했네!

뭐지? 이 괴상한 모양은….
토끼가 아니잖아….
토끼였어?!

연습하면 돼! 오늘 우리 집에서 자고 아침에 다 같이 만들자.
고마워….
맛은 있을지도 몰라!
냠

…음! 아주 Dangerous 하네★
늘 자신 있어 하던 미소가 고장났다.

샤로 건 채소를 많이 넣어 줄게.
… 고기도.
리제 것도 건강을 생각한 메뉴로 해야 해.
그 정도는 나도 알아!

친구를 생각하며 만들다니… 멋지네.
둘 다… 즐거워 보여.

후유도 그래.
같이 잘해 보자.

…그래서 매운 건 뭘 넣을까? 타바스코? 와사비?
내 도시락에 러시안룰렛은 넣지 마!
즐겁…네.

다음날, 점심시간
리제는 오늘 도시락?
샤로가 직접 싸서 아침에 갖고 왔어.

유라는 안 줄 거야.
리제 걸 멋대로 먹을 순 없지.

뺏어 먹기
뺑이 지롱♪
내 미트볼!!
그러게 누가 자랑하…

아, 메모다.
'치야의 폭탄이 한 개 섞여 있으니까 조심 해요.'
라는데?
으악~ 매워!!

치야~!
내 도시락을 받아줘♡

오늘 도시락 싸 오지 말라고 톡 한 게
이거 때문?!
서프라이즈~.
치노네를 보니까 나도 만들고 싶더라고.

그리고 내 거엔 리제의 수제 요리가 들어 있지♪
짜잔~
어머.

우리… 떨어져 있어도 도시락 고리가 생긴 것 같네.
엥?

후유가 싸 온 도시락 엽니다?
아, 긴장 돼….
아, 기대 됩니다.

달칵
이… 이건!

토끼 캐릭터 군요!
….
아닙 니까?

맞춰서… 너무 기뻐….
만들길 잘했어….
먹기 전부터 벌써 감동?!

직접 싸는 게 얼마나 멋진지… 모두가 알려 줬어.
후후
이번엔 내 걸 열어보십시오.

달칵
?!

똑같이 캐릭터 도시락 이네요.
자신작 고양이 입니다.
고양이 !!

파아——아
내가… 너무 불안에 떨었구나.
치노는… 굉장해!
?
뭔지 몰라도 기쁘다니 다행 입니다.

DEVI USA
DEVI USA

아, 에르. 어서 와.
아이스 커피 마실래?

COOL
아니.
독서에 집중하고 싶어.

뭐 읽는데?
위험한 심리술.
됐어.
우리 가게에서 읽으면 되지.

위험한 심리술
위험…?
내가 알던 에르가 아냐.

리제, 전단지 배부 중

여름 특별 메뉴입니다. 가게에 오셔서….
나츠메!

…안녕.
전단지는… 안 받을게.

왜 그래? 왠지 좀 데면데면하네?
서운하게.

바들 바들…
서… 서운하게 했다면 미안….
정말 왜 그래?

타앙!
나츠메가 이상해.

더는 안 되겠어. 어떤 모습도 받아들여 주질 않아.
확실히 불안정하네.

에르도 이상해서 데려왔어.
더워 먹었나?
그쪽도?

팽글 팽글…
남은 방법은… 뇌물뿐.
무슨 일이야? 쌍둥이들.

메그랑 마야한테 들었는데
브라이트버니 면접에 떨어진 탓에 방어기제가 발동된 것 같다고 합니다.
방어 기제?!

면접이 그렇게 잔혹했나?
그랬구나
트렌드와 좀 동떨어지긴 했지만, 문제없는 범위였던 게 더 쇼크였답니다.
테스트를 한 메그 말로는…

모두가 받아 들여준 본모습으로 도전했는데
그런 날 부정당해 버렸어….

차라리 옛날처럼 내숭을 떨면 덜 상처 받을 수 있어.
발상이 극단적.

팟
나한텐 어떤 나츠메랑 에르도 다 사랑스러워!
그러니까 자신을 싫어하지 말아줘.

꼬오——옥
부비 부비♡
있는 그대로가 좋습니다.
이런 코코아도 잘 해나가고 있으니까요.

철퍽♡
치노도 안기고 싶어서 질투하는 구나?
에?
위로하는 척 사심 채우지 마.

와라락♡
차암, 리제까지 질투를 하고.
이런 뻔뻔함도 가끔은 필요해☆

떨어진 이유는 구체적으로 모르는 군요?
이유를 듣기 전에 도망쳐 버려서.

정말은 듣지 않은 걸 후회하는 거 아니야?
음…
단점이 있다면 고치고 싶지만… 역시 무서워.

상심할 만한 소릴 들으면 같이 고민하자!
폐가 될 텐데….

괜찮습니다.
우린 언제든 여기서 기다릴게요.

자, 그럼 이유를 물어볼까요?
후유가 아마 휴식 중일 겁니다.
꾸욱
지금?!

치노…! 어쩐 일이야?
실은 나츠메, 에르 일로….
스피커?!
듣기 무서워

그 얘기라면 들었어.
실은 한 명만 뽑을 수 있는 상황인데…

쌍둥이가 너무 사이 좋아서
한 사람만 뽑을 수가 없었대.

그 한 자리는 이미 채워졌지만,
자리가 더 늘면 그때 다시 도전 해보래.

그렇게 된 거랍니다.
휴
점장님 나름의 배려였네.

그나저나 인기 가게라 다음 모집 경쟁률은 더 심하겠는데?
확실히 허들이 올라 가겠….
학

그렁그렁그렁
울 정도로 절망적이야?!

그게 아니라
나츠메가 부정당한 게 아니라니까 기뻐서…!

응.
에르도 그대로 괜찮아…!

자매애 …♡
화아아~
근데… 치노.

왜 나한테 상의하지 않은 걸까…?
같은 브라이트 버니인데…
예?
새로운 불안의 씨앗이.

설욕하겠어!
꼭 붙고 말테다!
포기 안 하는구나?

처음으로 우리가 찾은, 하고 싶은 일이니까.
회사나 부모님 일에 대해 좀 더 알고 싶어.

둘이 또 면접 연습하자!
나츠메의 면접관 역할은 귀여워서 좋아.
의지하지 않고 둘이서만…?

에헴♪
이제 문제 없어! 꼭 붙을 거니까!
안심하고 지켜봐 줘!
불안하기만 한데.

의욕은 충분하지만, 뭔가 대책을 세워야 할 것 같아.
아무래도 이럴 땐….

와아…! 난 코코아 계획에 찬성♪
후후후, 좀이 쑤신다!

아~ 그 점장님은 아마 기꺼이 받아줄 거예요.
리제 선배 부탁이니 맡겨줘요!

좋았어!
맹훈련 예약 완료.
뭐?!
잘됐다, 애들아.
잘됐다니?!
쌍둥이 자매 레벨업 계획 시작.

아마우사암

어서 오세요~☆

메그한테 도우미로 와달라고 했는데, 문제없어 보이네.
린 씨군요?
응! 지금 명함을…
에르가 되게 즐거워 보인다.

예~이☆
무사히 접객 했지롱.
린 씨 주문은 뭐였어?

…예~이, 하다가 까먹었어….
에르?!

내가 대신 메모 했어.
메그!
긴장하면 실수할 수 있지.
잘했어!

나도 브라이트버니 합격 응원할 테니까 같이 잘해보자.
예… 예~이♡

오늘은 그 기세로 합격♪
AMA USA☆ 예~이!!

주문… 제대로 들어 갔겠지?
한번 더! 예~이!!
두근
두근

플뢰르
잘 부탁 합니다!
당당하고 좋네.

10분 뒤
글쎄!
꽃처럼 서서 좀 더 활짝 미소를 지으라고!
짓고 있잖아!
어딜 봐서! 건방져 보이거든?
그러는 넌!

선배인 내가 아주 알차게 교육해 줄게.
사양 할게요.
싸우나?!

분하면 홀에서 접객해 보든가.
쿵
쿵
얼마든지.
근데 이 기세 라면 긴장하지 않고 하겠는데!

걱정 마! 이번엔 내가 경험치 올리는 데 협조할 테니까.
게임처럼 재밌을 거야.

안녕 하세요 ~.
♪
지금 이야!
있는 힘껏 미소를 ….

마야…!
사이가 좋아 다행이네.
심 쿠 웅…☆

웅얼
아… 어…
어서 오세…
웅얼
방구석 여포 였냐?!

띠리링

나츠메
기필코 카운터 너머에 서고 말겠어!
에르
셋이 같이!

나도… 열심히 하자!
이글
흠칫

이번엔 적을 구해줬구먼.
…역시 그렇게 되는 건가요?

하지만 걱정 마세요!
할아버지의 꿈의 카페는 지켜갈 테니까!
참 든든 하구나.
…헌데 치노야.

그건 내가 하고 싶었던 카페지,
네가 하고 싶은 카페는 따로 있지 않니?

… 할아버지는 맨날 어려운 말만 하세요.
너도 곧 알게 될 게다.

Please give me ♡

Oh...

나는 리제.
대학생이 되어 인간 관계가 변한 게 있다면

옛날에 비해 소꿉친구가 유난히 더 들러붙는다.
리제~
지금 어디 가?
샤로랑 쇼핑.
난 알바 가는 길~.
열심히 해.

고등학교 때부터 변하지 않아서 기쁜 건…
샤로!
기다리게 해서 미….

귀여운 후배가 잘 따른다는 것.
Chapeau de La
Chapeau de Lapin
머리모양 체크 중
조금 이따 말 걸자.

스
스
윽
윽
이상하지 않나?

곱슬머리가
폭주를 했어

곱슬 머리 라도 귀여워.
선배?!

서서서, 선배의 양갈래 머리는 오늘도 여전히 예쁘네요!!
이제 그 머리 아닌데.

마, 맞다. 대학생이 된 뒤로 바꿨죠.
당황해서 보지도 않고….
샤로, 얼굴이 빨개.
차가운 음료라도 마실까?

마침 근처에 브라이트 버니가 있다.
여기서 좀 식혀요.
Bright Bunny

유―라―☆
어? 또 만났네?
어서 오세요.

유라 선배?!
알바 하는 곳이 여기 였어?

설욕하겠어!
쌍둥이가 떨어진 자리에 들어 온 게 너였구나….
왜 하필 브라이트 버니?
쌍둥이?
대학에 들어간 뒤로 시간이 남기도 하고~

이곳의 도회적인 분위기에도 관심이 있달까~?
유라 선배는 유행을 좋아하니까요.

뵤옹
맞아~. 앗, 샤로 머리띠도 지금 유행하는 색이지?
!!
알아 챘어요?!

목걸이는 마린 모티브네.
직접 만든 거예요!
여름에 맞는 이미지로….
재잘
재잘
어라?
나랑 얘기할 때보다 더 신났는데?

난 곱슬머리 얘기나 하고…
선배?
리제는 트렌드랑 거리가 머니까~.

걱정 마세요!
여기 주문 방법은 내가 잘 알아요!
아니, 그 정돈 나도 알아.

그럴 수가. 이때를 위해 리허설도 했는데.
나 여기 처음 아냐.
샤로는 참 야무지구나?

이대로는 선배 노릇 계속하기 힘들지도 몰라.
널 언제까지나 잘 따를 거라 생각하지 말라고.

하긴 요즘 듬직한 면을 못 보여 주긴 했지.
어떻게든 해야 해.

부릅
샤로!
오늘은 내가 에스코트 할 테니까 뭐든 의지해!

활짝
네!
근데 지금 우리 가는 데가 그릇 가게죠?
숨겨진 명소 소개라면 내게 맡겨 주세요!

쿡
그건 못 당하니까
그랬지 참….
그럼, 부탁 할게
?!
갑자기 겸손.

이 가게라면 좋은 물건을 찾을 수 있을 거예요.
오오
정말.

어떤 걸 찾으세요?
으음
치노랑 얘기해 봤는데
최근에 아이를 데려오는 손님이 늘었거든.

그 사람들이 즐길 수 있는 식기가 있으면 좋겠어.
우리도, 가게도 변해가야 하니까.

빠——안
그렁
그렁
내가 뭐 잘못 말했어?

샤로

아무것도 아니에요.
다른 곳도 둘러봐요.
탁
자, 잠깐만!

나, 나한테 실망했으면
그렇다고 말해줘~!!
덥
석

…운해요….

선배가 점점 어른스러워지는 게 서운해요.
?!

그렇잖아요. 대학생이 된 뒤로 양갈래 머리도 졸업하고.
이제 학교에 없다는 걸 알면서도 자꾸만 찾게 된다구요.
최근엔 양갈래 머리를 한 메그를 눈으로 좇기까지.
뿌
애앵
진정해

오늘은 예뻐진 선배 옆에서 걷는 게 부끄럽지 않게 멋도 부렸는데….
!

아잉, 귀여운
샤로~!
부비부비~
히이이익

쇼핑 끝나면 래빗하우스에 들를까?
예!?
전 좋지만, 왜요…?

음료 나왔습니다!
그러고 보니 여기선 양갈래….

저기 샤로 건 우유를 많이 넣긴 했는데, 카페인 먹어도 괜찮습니까?
고마워, 괜찮아. 치노.

리제는 역시 이 머리지.
대학에 가면 그만두려고 했는데, 코코아가 자꾸 이래서….
조금만 더 해보려고

가게에서 쓰는 잔도 이것저것 생각하는구나.
끄덕
최근 손님의 요구도 반영하고 싶어져서요….

그런 이유로?
그것도 있고,
저길 봐.

리제 머리는 변함이 없지만요.
후후
변해 가면서도 변함이 없는 장소를 만들어 가는 거지?

어째선지 여기 오는 애들이 좋아해.
토끼다~
갖고 논다?!

왠지… 차분해진다.

아~ 차분해~!!
헙, 카페인에 취했다.

양갈래 머리 조언 잘했어☆ 코코아~.
그치, 그치?
의기투합 했잖아?

헝클 헝클
선배가 일하는 모습은 역시 귀여워요.
귀여…?!

으음, 누가 더 언니입니까?
부비 부비~
조용!

…그래서
여기 오니까 안심이 돼?

네.
절 생각해 주는 선배를… 한층 더 존경하게 됐어요!

머리 다시 하고 올게!
타아앗
쑥스러워 하긴~.

쓱
쓱

그 머리… 정말은 마음에 들죠?
히이이익~?!

그냥 너희가 조르니까….
칭찬에 약한 면도 멋져요♪
크윽.

그러고 보니 오늘 행동이 가끔 이상하던데, 무슨 일 있어요?
어…? 가만? 뭐 때문이더라?

그래서 소꿉친구는 자꾸 놀리게 된다니까. 그래놓고 말이 지나쳤다고 반성.
그치, 그치?
치야는 말이 통하네~.

후유도 이리 와~.
흠칫
낯가림이 심해서 유라를 경계하나 봐.

응? 뭔데, 뭔데?
샤약
복화술로 어드바이스 하게?

사과는 본인에게
지당하신 말씀~.
Hello Half-timbered Town!
Bright

Galaxy Station

안녕 하세요, 마스터.
저어, 상의 할 게 있는데 ….

소설 쓸 때의 필명이 고민 돼서요 ….
마스터가 정해 주세요!!
아오야마 미도리면 괜찮지 않나?

그래, 그래. 단, 유명해져도 내가 생각해낸 거란 말은 절대 하기 없기야.
이런 건 기억하기 쉬운 게 제일 좋고, 진짜 의미는 숨겨둬야 하는 법이지.

두근
네!
그래서 제 필명은 …?
두근

아오야마 블루 마운틴 씨!!

네!!
정신을 차려 다행이에요.

우리 가게에서 작업하다 쓰러진 거 기억나십니까?
요즘 글이 막혀 계속 잠을 못 잤더니….
미안해요

타아아—앙
미도리 선배, 죽으면 안 돼~!!
나 죽는 거예요? 린.
코코아가 오해하게 연락을 한 모양입니다.

열이 좀 있네…. 피로가 쌓였나 봐요.
혹시 모르니까 오늘은 여기서 주무십시오.

아오야마 씨를 위해 특제 영양 스무디를 만들었어요.
전 빵죽이요.
하아
여긴 천국인가요?

전 티피를 두고 가겠습니다. 보들보들해서 진정이 될 겁니다.
또 뭐 필요한 거 있습니까?
글쎄요…. '여름 괴담 단편' 원고가 막혀서 그러는데…

병문안 선물은 각자의 '신비한 체험담'이 좋겠네요♪
억지예요, 선배!!

체험자 ① 마야
레트로풍 오락실에 잘못 들어간 적이 있는데
나중에야 이 동네에 존재하지 않는 가게인 걸 알았어요!

체험자 ② 메그
평행 세계였던 것 같아요.
머리를 맞고 꿈을 꿨는지도 모르지만!

체험자 ③ 코코아
핼러윈 밤에….
음~ 역시 기분 탓이었나?

괴담 마니아
체험자 ④ 치야
오히려 내가 듣고 싶어요♪
환자한테 조르지 마!

괜찮아 보이시니까 그만 가자!
벌써?!
걱정돼서 보러 와줬구나.

나도 신기한 체험이 있으면 말하고 싶은데… 없네?
그런 건 어른이 되면 알아채지 못하게 되는 건가?

난 아직도 신기한 체험을 해요.
엥?

돌아가신 마스터 목소리가 종종 들리거든요.
전에 이 인형에서….
선배.
역시 병원에 가요!

후후
정말은 '만일 마스터가 있다면'이란 상상이 낳은 환청이란 거 알아요.
선배는 상상력이 너무 풍부해요.

하지만… 그 덕에 멋진 이야기도 쓸 수 있는 거겠죠?
나처럼 머리가 굳으면 보이지 않게 되는 게 많은지도 모르지만…

내가 체험하지 못하니까 더더욱
선배 소설에 매번 가슴이 뛰는 걸 거예요.

갑자기 왜 얼굴이 빨개? 열이 나나?
평소처럼 원고 재촉 안 해요?
화아악
내가 무슨 호랑이 교관이에요?
기껏 열심히 진심을 얘기했더니만!!
차암

그럼, 오늘은 이만 대신 갈게요. 푹 자요, 알았죠?
네~.

자, 그럼….
탁
?!

아, 신경 써주지 못해 미안해요. 모두의 얘기를 듣고 나니 의욕이 생겨서요.
린 같은 독자들에게 꿈을 나눠 줘야죠.

…실은 아주 조금 환청이 아닌 진짜 신기한 일을 겪어보고 싶어요….
내 상상은 모두에게 신세 진 것일 뿐….

꿈틀 꿈틀
저기, 코코아.
자기 침대를 아오야마 씨가 쓴다고 왜 내 침대에서 자는 겁니까?
모두의 괴담을 듣고 났더니 무서워서.

벌떡 아
최근에 있었던 신기한 일, 아오야마 씨한테 얘기 한다는 걸 깜빡했습니다.
뭔데, 뭔데?
코코아는 무섭다면서요.

… 밤중에 밖이 순간 밝아질 때가 있습니다.
날이 갈수록 가까워지는 기분도 들고요….
기분 탓이면 좋겠는데.
꽈아악

쿠울ー
나참!
사람 무섭게 만들고 먼저 자면 어떡합니까!

오늘은 은하수도 보일 것 같네요.
….

폴짝
티피?
폴짝

여긴 옥상인데요?
대체 뭐가….

번쩍
어?

덜커더엉

타도 될까요?
생각은 못 따라 지만, 기심이.
이 바보, 타면 안 돼!!
쪼르르륵
힉?!

모처럼 와줬는데
아직은 못 탈 것 같아.

기다리게 해서 미안.

조금만 더
이 목소리!
역시 당신은 마스터…?!

그야말로 은하 철도….

그분은 혹시… 맞죠? 마스터.
….
마스터?
….

저기, 저랑은 얘기 안 하실 건가요?
완고한 건 생전이랑 똑같네요.

제가 기운 없어 보이니까
이걸 보여주신 거죠?

지키고 싶었던 비밀까지 깨면서
내게 환상에 대한 호기심을 떠올리게 해주신 건가요?

늘 지켜봐 주셔서
고맙습니다.
이제야 인사를 하네요.

다음 날
꺄아아아악
그건 임사 체험?
생명력이 약해져서 저승 사자가 보였나 봐요.

힐끔
으음, 데리러 온 건 내가 아니라 아마….
….

후후♪
아무래도 내가 죽다 살았나 봐요.
수면 부족은 참 무섭네요~
그게 지금 웃을 일이에요?
린 씨한테 연락 하자!!

할아버지, 혹시 아오야마 씨 얘기….
됐다.
변한 건 아무것도 없어.
마감 조금만 더 늘려주면 안 될까요?

아오야마 블루 마운틴으로서 심기일전 할게요!
전부터 생각했는데, 왜 필명을 그렇게 지었어요?

블루 마운틴은 애호가가 많은, 커피의 왕입니다.
나라면 아오야마 씨 소설의 애독자가 늘길 바라는 마음에 그렇게 지었을 거예요….

으음…
확실히 아오야마 씨 단골 메뉴이긴 하지만.
진상은?

역시 손녀네요…!
?!

이 거리에선 종종 골동품 시장이 열린다고 한다.

오늘은 래빗 하우스도 출점 하기로 했다.

하숙집 사장님도 출품을 부탁해서 가져 왔어.
우리도 안 쓰는 잡화랑 옷 좀 갖고 왔지.

옷이라면 나도….
멋지다!
The 타락천사
평상복 센스를 칭찬받은 건 처음이야….

촤락
나도 멋진 걸로 갖고 왔지롱!
구속 도구?!

아냐, 패션 아이템이야.
그리고 사람을 피할 때 썼던 것들.
마음까지 기르다
어째 점점 수상한걸?

몇십 분 후
아무도 안 오네.
왜지?
표정이 딱딱… 한가?

앗! 브라이트 버니팀 발견!
!
마야랑 메그.

분위기는 칙칙한데 물건들은 재밌네?
칙칙하긴 누가!
?
재밌다고 …?

이 액자.
옛날 사진을 깜빡했다.

나츠메, 옛날엔 머리가 길었구나?
왜 잘랐어?

우린 쌍둥이라 구별이 안 간다고 해서
어느 날 나츠메가 싹뚝….
에르!

근데… 그런 이유로 머릴 자르고 괜찮았어?
머리도 가뿐하고, 후회는 없어!

안절 — 부절
진짜로?
이 하늘하늘 옷에 미련이 없다고?!
괜히 신경 쓸까 봐 말 안 했는데!

그럼, 내가 이거 살게.
후후
나츠메 냄새가 난다.
제대로 빨아온 건데.
미안

난 이걸로 살까?
이 부드러운 느낌… 에르의 냄새!

화아아악
부드러운 냄새…
이것도 나츠메 거?!

쌍둥이라서 머릴 잘랐단 것도, 사람들을 피하던 시절이 있었다는 것도 몰랐어….

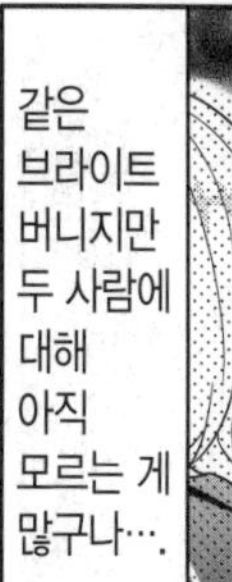
같은 브라이트 버니지만 두 사람에 대해 아직 모르는 게 많구나….

!
두두두
이쪽에서 보물 냄새가 나!
샤로랑 치야!

짝~
구하고 있던 브랜드의 찻잔 발견!
천천히 봐.

근데 이렇게 좋은 물건이면 가격이 비싸겠지?
으음
잘 모르니까 10엔만 받을게.

버럭
너무 싸잖아!!
왜 화를 내?!

좋은 그릇은 걸맞은 가격에, 걸맞은 사람에게 넘겨야 하는 거야!
적정가격은 이 정도가 좋아! 숫자 ○은 그릇의 눈물이라고!
알았어!!
샤로도 참, 의욕이 넘치네.

어머~
이 T셔츠 멋지다…!
게다가 프리사이즈
아, 알아봐 주는 거야…?!
The 타락천

'타락천사'란 문구가 너무 마음에 들어!
응!
그리고 고양이 캐릭터도
그래서 가격은?
공짜로… 줄게!

아이, 좋아♪
넘어가지 마, 후유!!
The 타

야호, 브라이트 버니 팀!
구경 왔습니다.
코코 언니! 치노!

와아
보물 발견! 난 이거 가질래.
핸드밀 보물상자?
그건… 우리 사장님 거야.
아마 기뻐하실걸

…이건 팔찌 같은 겁니까?

그건 잘못 산 구속 도구.
예?
장난감일 거야.
아마도
역시 패션 아이템이 아니었군.

손님은 얼마나 왔습니까?
아는 사람밖에 안 왔어…. 아직 이렇게 물건이 많은데….

여긴 그늘이라 시원하지만 좀 외져서 그런 건지도 몰라.
꼼수를 써야 할 것 같아.
꼼수라니?

싱긋

여기 대박이다! 완전 보물 창고야!!
?!

그럼, 열심히 해!
타앗
여러분이라면 분명 어떻게든 할 수 있을 겁니다!
가는 거야?!

와글 와글
확실히 신기한 게 많네!
이거 뭐예요?
한꺼번에 몰려왔다.
어어, 어떡하지…?

당황하지 말고… 진정하자.
두근 두근 두근
아까 모두가 와준 덕에 긴장은 풀렸…지?

무엇보다 우린 할 수 있다고 치노가… 말했잖아!
치노파워 대박.

치노파워 작전이다…!
우리에게 맞는 역할 분담을 생각할 테니까… 들어봐.
으, 응!
따를게~!

나츠메는 아직 긴장하고 있지만, 상품을 실제로 사용해줘…!
자, 입고 들었어! 에르, 설명해!

그걸 에르가 밝게 소개하면 모두가 원하게 될 거야.
아잉… 나츠메 멋져…!
내가 아니라 상품을 설명하라고!

난 아직 미소가 서툴러서 계산 담당.
여깄습니다…
이건 문손잡이에요
에?!
아하하
저마다 역할이 있는 게… 왠지 체스 같아.

이제야 일단락 됐군!
우리… 받아들여졌나 봐!

팀 플레이 … 성공.
휴
후유도 복화술이라면 호객이 가능하지 않아?

그 생각은… 못했다!
그만큼 열중했던 거겠지.

근데… 이걸 파는 건 역시 무리였나 봐….
마음까지 기르다
아쉽다!

남은 거 다 나한테 팔래~?

유라 …?!

구입해 주셔서 고맙습니다!
이걸로 완판이에요!
다행이네~.

좋은 사람이다~!!
와~아
둘이 떨어진 면접에 붙은 사람이란 건 비밀로 하자.

그렇게 단숨에 팔아 치우면 섭섭하지… 않아?
아니? 완전 후련해!

비뚤어지면 쓸 생각이었지만
흑화라고 하지
여기선 더는 날 위장할 필요가 없으니까.
너무 나간 거 아냐…?

꼭 필요한 사람에게 줘서 다행이야.
골동품 시장이란 거 진짜 좋다.

그런 게 필요하구나…!
유라에 대한 경계심 게이지가 쑥 올라갔다.

후유가 우리 개성을 고려해 지시하는 거 보고 깜짝 놀랐어.
옛날엔 쌍둥이라 구분이 안 간다는 소리를 들었는데,

우리를 제대로 봐주고 있었구나?

근데… 나도 코코 언니가 와주지 않았으면 불가능했을 거야.
모두에게 감사해야겠다.
우리 팀은 아직 멀었네.

그날 밤, 리제네 집
이게 다 뭐야?!
내가 붙은 면접에 떨어진 쌍둥이가 있길래 좀 도와줘
너 이런 취향이었어?
안 듣고 있군.
리제가 쓸래?

골동품 시장에서 산 소품에
시스트 지도가 들어 있었어!

아… 읽히는 범위 안에 장소가 있는데
설마 진짜 갈 거야?

글자가 번져서 읽기 힘든데?
게다가 오래됐고
해독 하자!
좀 재밌을 것 같습니다.

목적지가 바다야.
쏴아—아…
?!

플뢰르
바
다~?!

그렇게 소금물에서 놀고 싶어?!
싫어
하여간 낭만 없긴!
나츠메한텐 가자고 안 할래!

뚜웅
샤로! 바다 가자, 바다! 1박 2일로!
좋긴 한데, 너무 갑작스러워서. 최근 스케줄도 다 찼고….

알바 시간을 나랑 바꾸면 넌 갈 수 있을 거야★
마야만 가.
난 입시 공부도 해야 하니까
샤로를 희생 삼아 갈 순 없어!

아마우사암
진짜 보물찾기 예감이 들어~!

에르는 바다 어때…?
다닷
매년 프라이빗 비치로 놀러 가서 그닥…?
관심 없어?!

치야는 바다….
?!
바다… 파도… 심연의 조수… 안 돼…. 너무 싸구려야….
여름 메뉴를 고민 중이래.

올여름 브라이트 버니에 질 수 없어…!
아마우사의 거대한 물결을 일으킬 거야!
사고의 바다에 삼켜졌다!!

바다에 간다는 게… 진짜야?
후유도 관심 있습니까?
아니, 난 바다는 별로야.
찐득거려서

나츠 에르도 그렇고, 억지로 권하진 않겠습니다.
주문은요?
카푸치노로
치노는… 엄청 가고 싶어?

제가 아니라 코코아가 다 같이 가자고 해서요….
파
슈우욱
근데 모두의 일정을 맞출 수는 없을 겁니다.
누가 되면 누군 안 되고…
바 바 밧

다들 일하니까요.
치노도… 그렇잖아.

이번엔 래빗 하우스 멤버끼리 날개를 활짝 펼치고 와~.
힘 내, 치야.
그렇구나

다들 바쁜 모양이네?
쪼르륵…
어쩌면 힘든 시기일지도.

일단 유라한테도 권해 볼게.
유라?!

잘 다녀와~.
뒹굴뒹굴
난 그동안 리제 방이나 지킬게.
네 맘대로 하려는 거지?

어른이 된다는 건… 다 같이 모이기 힘들어 진다는 건가…?
울적한 코코아?!

이번에 미리 가보고
좋은 곳이면 나중에 다 같이 가면 되지!

나중에… 언제?
그런 얼굴… 하지 마.
으윽
따라 운다!!

고작 이 정도로 낙심하지 마!!
치노?!
평소의 복화술이 아닌데?!
입이 움직이고 있어

아하하하
되려 치노한테 혼났네.
그래, 언니라면 똑 부러지게 굴어야지.

티피도 위로해줘서 고마워.

저어… 티피도 같이 가면 안 됩니까?
래빗하우스 멤버니까.
!!
진짜? 그럴래? 가자, 티피!

보물 찾기에 티피 코가 도움이 될까?
우선 더위 대책부터….
티피는 개가 아니거든?!
평소대로구먼

출발일

다녀오겠습니다~!

타카히로.

나 없는 동안 가게 좀 부탁하마.
알아서 할게요.
너만 두면 영 불안해서.

빼꼼
저도 있어요~♪
아오야마는 소설이나 써!!

안녕, 리제!
오
일찍 일어났네.
평소엔 늘 늦잠인데….

오늘 같이 가줘서 고마워.
웬일로 예의를 차린대?
그치만 잘 모르는 지도가 발단이었으니까.

별거 아닌 계기라도 후회하고 싶지 않았어.
지금 안 가면 마음에 남을 것 같아서….

리제한테 쑥스러운 소릴 다 듣고 웬일이래♡
말하게 만든 게 누군데!!
헉

잠까 아아안.
이 목소린 ….

우리도 데려가!!
안 늦었다~.

?!
바쁜 거 아니었습니까?
나츠메랑 에르가
알바 시간을 바꿔 줬어….
헥
헥

왜 갑자기 그런 배려를 해준 걸까?
덕분에 살았어.
선물 멋진 걸로 사다 주십시오…!

혹시 치야랑 샤로도…?
애들아, 여기!

다 모인 것 같아 다행이야.
그러게.

이렇게 와도 돼?!
후유가 갑자기 알바를 대신…
라이벌 가게 직원이 쉬라지 뭐야.

메뉴 힌트는 바다에서도 찾을 수 있을지 모르니까!
공부는 밖에서도 할 수 있고.
온오프 구별 좀 해!
FRONTIER
아이디어 노트

다들 합류했겠지?
처음부터 솔직하게 부탁하면 좋았을걸.

평소에 대한 답례가… 좀 됐을까?
골동품 시장이며 면접 연습이며, 아직 많이 부족한 것 같지만.

이걸 계기로 브라이트 버니 팀은 점점 더 성장할 거야!
앞서가는 거지.
그렇게 말하니… 꼭 우리가 악역 같아.

챙가—앙
아, 접시 깼다.
이쪽은 괜찮으니 후유는 아마우사에 가봐.
전혀 괜찮지 않은데…,
Fleur Du Lapin
Fleur Du Lapin

내가 1등!
마야, 같이 가~.
뛰지 마! 결국 내가 또 보호자냐?

헤헤
투웅!

기분 좋다고 어깨빵 하지 마십시오!
투—웅!
그러는 너는!

투웅♪
빠악
컥.
뭐야?!

그래서
리제가 별거 아닌 계기라도 후회하고 싶지 않다는 거 있지♪
코코아!!

멋져요, 선배!
쑥스러워 하긴~!

난 여름엔 다들 어른이 된다고 하니까 되도록 같이 있고 싶었어. 뒤처지기 싫어서.
그러는 메그가 제일 어른스러운 것 같은데?

그럼, 올여름은 서로 감시하자♪
정말 싫은 여름이군.

바다가 보인다!
이리 와봐!

이런 이런
이젠 내가 있을 이유가 없겠구먼.
그렇지 않습니다!

코코아를 따라 얼굴이 풀어졌는데?
그, 그치만 모두가 올 줄은 몰라서….

무엇보다 할아버지랑 같이 바다를 볼 수 있는 게 기쁩니다.
이런 착한 손녀도 있고, 난 참 복 받은 사람이야.

기차에서 내려
돌로 만든 아치를 지나니 그곳은 ….

야호~!
야호~!
그건 산에서 외치는 거 아냐?

바
다~!!

목적 달성이군.
좋은 여행이었다.
더워…
아직 시작도 안 했어.

이 마을은 벽이 온통 하얘.
탐험 하자!

더워… 녹을 것 같아….
어허, 정신 차려!
헥 그래! 헥
샤로, 무리 하는 거 아냐?

치노! 배야!!
보틀쉽이랑 다른 겁니다.
둘 다 너무 빨라~!

…근데 여긴 해변 없어?
속에 수영복 입고 왔는데.
물놀이 생각뿐 이구나?

엑?!
다른 사람은 아냐?!
오늘은 보물 찾으러 온 거니까!
목적을 잊지 않은 코코아… 어른이네~!

그… 보물지도 말인데, 실은 2장이 있어서… 목적지가 다를지도 모릅니다.
그럼, 두 팀으로 나누자.

얘들아~
아이스크림 사 왔어♪
인원수대로
레몬이랑 사이다맛 중에 어느 게 좋아?
!!

이걸로 팀을 나누면 되겠네.
그럼, 어느 걸 먹을지 동시에 결정합시다.
어? 뭐?
하나 둘 셋!!

사이다 팀
기세로 밀어 붙이자!
아싸!
나까지 끌어들이지 마.

레몬 팀
으음, 이쪽은 ….
비타민 파워를 보여주는 거야!
제일 체력도 없으면서.

누가 먼저 보물을 찾나 내기 하자!
부절
경쟁은 좀….
안절
이긴 팀이 저녁 디저트 쏘기 어때?

…뭐든 다 쏘는 거야?
자기가 질 경우는 생각 안 하는 구나

그럼, 시작!
여기서 다시 만나~!

왠지 이 팀 나누기는 ….
왜 그래?

치노가 무슨 말 하고 싶은지 알 것 같아.
메그….

정신 연령이 어린 팀과 어른팀… 같달까?
저쪽은 엄청 불안하겠지?
그런 생각은 없었습니다만.

좋아, 그럼 우리도 출발!
와~!!

이거 귀엽다, 리제~
메그 게 더 잘 어울려

이 아이스크림 맛있습니다
메뉴 개발에 참고가 될 거야

핫
치야랑 메그의 느긋함에 물들 뻔 했다.
팟
지도 다시 봅시다!

우선 유리구슬을 찾으라고 되어 있어.
그런 건 대체 어디 있지?!
애들아~!

라무네 사 왔어♪
자, 여기~
아까부터 계속 음료수만 먹는 것 같은데.

아…! 라무네에 유리 구슬이 들어있습니다.
잘했어, 애들아!
그렇게 마시고 싶었어?
와락

자, 그럼 깰까?
대체 왜?!
히익

※전분, 물, 설탕으로 만든 여름 과자.

한편, 사이다 팀
이 길이…
정말 맞아…?

분명 길을 잃었어!
현지인에게 지도를 해독해달라고 하는 게….
그럼 보물찾기의 의미가 없잖아!

어? 왠지 조개가 필요하다고 적혀 있는데?
이 숲 어디에 그런 게 있어?

어떻게든 되겠지♪
즐기는 사람이 승자랬어☆
레몬으로 고를걸.

이 동굴로 들어가나 봐.
위험한 거 아냐…?
내가 선두에 설 테니까 두 사람은 날 따라와!

듬직하다, 마야~.
혹시 미래의 보물 사냥꾼?

음, 구체적으로 정한 건 없지만
다양한 곳을 보고 싶으니까 그 동네를 떠날지도 몰라.

우리도 동네를 떠나 꿈을 좇는 보물 사냥꾼이지롱♡
뭐?!
그거 좋다.
좋긴 뭐가!

근데 메그가 서운하지 않을까?
소꿉친구인데
치야도 서운해 했잖아?

뭐, 난 괜찮지만.
HA HA HA
그치?
오히려 내가 꼭 있어야 하는 면도 있어서 걱정이라니까.

코코아도 치노랑 리제가 걱정되지 않아?
맞아
우리 팀이 정신적으로 더 언니니까!

아… 방금 왠지 울컥했습니다.
?
우연이네? 나도야.

좀 더 견문을 넓혀서 세상의 멋진 것들을 목조거리에 퍼트리면 좋겠다.
나도 지금 사는 동네를 버리겠단 얘기는 아냐.

다들 생각이 비슷하구나.
설령 길이 나뉘더라도

모두의 꿈이 겹쳐지는 미래가
앗~!!

빛이 눈부셔.
출구다!
으… 크으윽….

GOAL
START

그러니까 이 장소로 오는 과정을 두 패턴으로 나눠 그린 지도였군.

그보다 여긴….

성가시게

사이다 팀 즐거워 보인다.
사이가 더 돈독해진 걸까요?

…이런 식으로
갈라진 길이 하나가 되는 장래가 오면 좋겠다.

리제….
감동이야.
내가 침울해 보여서 걱정했구나?
그, 그런 게 아니라….
뒤~잉

레몬팀이 시끌벅적하네.
우리도 지지 않게 수다 떨자.
승부는 보물 찾기로 끝내!

저 배 수상하지 않아?

훌렁
분명 보물이 저기에….

돌격~!!
빠앵
물놀이 생각 없는 거 아니었어?!
난 그런 말 한 적 없네요♪

당연합니다.
속에 수영복 입는 건 기본이지.
?!
그런 기색은 전혀 없었잖아!

튜브
까지
준비
하고.
티피용
입니다.
후우—

먼저
갈게♪
리제랑
치야
까지.

샤로는
내 여벌
수영복
입을래?
하나 더
있어
해변이
있을
줄이야.

펄럭
기대도
안 했지만.
결국
다들
기대한
거네.

그보다…
동굴에서
코코아가
하려던 말,
정말은 뭔지
알았지?
쑥스러워
하면서
말하길래
못 들은
척해 준
거야.

애들아,
빨리 와~.

…
오케이!
가자.

바다다
~!!

야호.

풍더ㅡ엉
꺄.

안 무서워~?
재밌어~!!

다음은 우리 차례….
두근 두근
재… 재밌겠다~.
치야, 메그. 무서우면 허세 부리지 말고 그냥 내려와.

무슨 일
생기면
내가
도와
줄게.

안 돼,
안 돼
!!
리제
선배한테
그런 걸
시킬 순
없어!!
내가
도와
줄게!

그럼,
샤로만
믿는다
~♪
꺄아아아악
풀
딱
막무
가내로
뛰어
내리지
마~!!

풍
덩
남은
건
우리뿐
이군.
하습
각오…
됐어!

풀 파
악
저승에서
만나자
~!!
메그
?!

풍
덩
어어어엉
푸하아아
이승에
다시
온 걸
환영해
치노…
무서우면
안 뛰어도
돼.

코,
코코아
야말로
그만
둘 거면
지금
말하십
시오.

손 잡을까?
돼, 됐습니다!
그럼, 괜찮은 거지?
윽.

큰맘 먹고 뛰면
분명 즐거울 거야.

에잇.
!!

엄청난 각도로 떨어졌다.
코코아~.
폼 잡으니 그렇지.
….

치노, 무리 안 해도 돼~.
근데 뛰어내려 봐야 알 수 있는 세계도 있어!

할아버지…
정말 괜찮겠습니까?
이런 스릴은 두 번 다시 경험 못 할 게다.

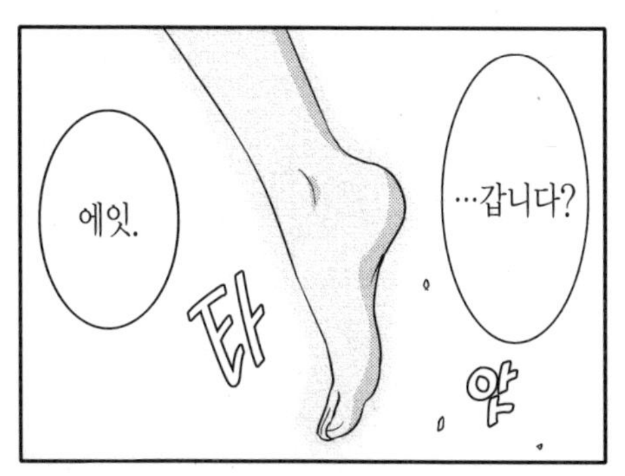
…갑니다?
에잇.
타
앗

신세계~!!

치노가 떠오르질 않아.
안절 부절
내가 잠수해 볼게!

흡.
첨벙
화악
앗, 치노다.

무서웠지?
휴
빨리 해변으로 돌아가자.
…풉.

아하하하.
?!

왜왜, 왜 그래?! 맛이 간 거야?!
상상보다 재밌어서
그렇게 망설인 내가 웃깁니다.

코코아가 걱정돼서 잠수 했는데 ….
예에?!

찾아 보겠 습니다!
첨벙
푸하
앗, 코코아.
치노 웃음소리 들었어?

뜨아악
치노 웃음 소리?!
뭘 하든 매번 어긋 나는군.

리제 선배~
우리 해변에서 청춘놀이 해요. 나 잡아 봐~라! 알죠?
청춘 놀이? 샤로를 쫓아가면 되는 거야?

잘 모르겠지만 거기 서~.
아하하
우후후
꺄~♪

파앗
협공!
오랏줄을 받아라!
까악~.

잡았다~!
애나?
사돈 남 말 하네.
까악~.
천
승

모래놀이

우린 해변에서 예술활동 중인 겁니다.
부릅
오, 그거 어른 같다!

어머~ 멋진… 도깨비?
티피 입니다.
보들보들 촉감을 내는 게 어려워.

반대로 둥글게 해보는 건 어때?
토닥
오호라!
토닥
얼굴은 어떡하지?
모래만으로 가능할까?

명안
그럼, 이건 그냥 찹쌀떡이라고 하자☆
티피는 어쩌고?!

짜~안
예쁜 조개껍질 찾았지롱. 이걸로 장식하자♪
코코아!
그럼, 내가 갖고 있는 유리구슬도 장식할까♪

개성 만점 티피 완성~!
유리구슬을 용케 갖고 있었네.
그건… 아.

애들아~.
보물 찾기를 완전 잊고 있었다!!

샤로를 쫓다가 보물 상자를 발견했어.
해변의 폐선에 있더라고.
그렇게 쉽게?!
헥
헥

편지 말고는 없는데?
뭐라고 적혀 있어?
Vacation is an irreplaceable treasure

'휴식이 바로 보물'.
에계~ 그게 결말?!
자, 신나게 놀자~.

아~ 맥 빠져.
그렇지 않아.
요즘 알바다, 공부다 잘 놀지도 못했잖아.

보물 고마워요~!
누구한테 하는 말이야?

'유리구슬과 조개는 추억으로 갖고 돌아가 주세요. 두 개를 합치면 진주 같아서 멋지답니다♪' ….
멋쟁이네!
난 내용물과 바꾸기 위한 건 줄 알았는데.
시스트니까

한두 명 정도만 올 줄 알았나 봐.
7명이면 진주 조개를 만들어도 유리구슬 하나가 남아.

얘들아
레몬팀이랑 사이다팀 교환 안 할래?
4대 3이면 짝이 안 맞습니다만.

내가 조개를 두 개 주웠거든!
치노랑 리제한테 두 개 받을래♪
욕심쟁이!!

그럼, 메그는 나랑 교환하자. 깨지 않기다?
마야야말로 잃어버리지 마.

용케 발견했네.
이걸
샤로는 왜 소라 껍질이야?
그것밖에 없었어!!

레몬팀 집합~.
무슨 껍질입니까?
이거 봐~.
교환… 좋은 아이디어 같아.

코코아, 두 개는 치사해
뭐 어때~?
욕심쟁이
오늘의 추억이 멋진 형태가 되었으니까.

여기서 찍은 사진, 나츠메네한테 자랑해야지♪
차암
브라이트 버니 팀 덕분에 온 거니까 고맙게 생각해.

응…? 어라?

브라이트 버니 팀끼리 온천 수영장?!
나츠메
알바 끝나고

브라이트버니 팀이라…. 에이, 설마.
저쪽도 재밌을 것 같습니다.
근데 후유 얼굴이 겁먹은 것 같네.
누가 찍어준 걸까?

어느 새 어두워졌네?
옷 갈아입고 얼른 호텔로 가자.
아, 기대돼~.
와
자

앗!
치노?

지도 뒤에 작게 '우사기 & 초코'라고 적혀 있는데…
만든 사람일까요?
학
2인조…?
그래서 지도가 두 장이었군?
USAGI & CHOKO

우리도 언젠가 만들어 보자.
이름은 '코코치노'.
예…?
왜 싫은 얼굴이야?!

후유… 인데, 치노네는 바다에서 재밌게 놀고 있어?
난 나츠메랑 에르가 가자고 해서 온천 수영장에 왔어.
나도 여기… 와보고 싶었어.
오늘은 셋이 신나게…

퇴근길 온천, 되게 궁금했는데.
노동 후의 커피 우유는 참을 수가 없달까?

체스… 하자!
물놀이 안 하고?!

오케이, 콜!
참바아앙
체스는 사장 딸의 기본이니 절대 질 수 없지!

후우욱
둘을 한꺼번에 섬멸…
들끓는다.
승부욕 아우라?!

흐물
놀이니까 좀 더 편하게 해.

유유, 유라…?
히이이이익
유유?
아우라가 사라졌다.

후유, 체스 잘하는구나?
집중을 못 하겠어….
골동품 시장 때 본 언니?
후유랑 아는 사이였어요?

최근 브라이트 버니에 채용됐지~.
쌍둥이들 자리를 뺏어서 미안~.
아하~
그거 말해도 돼?!

솔직하게 사과하고 싶었나?
하지만 나츠메랑 에르 입장에선 불쾌할 텐데….

예에?!
그럼, 브라이트 버니 선배네요?
선배, 면접에 붙는 요령 좀 알려 주세요!!
?!

예? 학교도 선배예요?
진짜 선배였구나~
휴
그렇군…. 둘에겐 별문제가 아니었나 보네.

저기, 여긴 자주 와?
오늘은 알바 끝나고 우연히 셋을 발견해서~
응~

이것저것 많이 알려주세요!
안 될까요?

처음 가는 것 같길래 귀여운 후배들이 길 잃어 버리지 않게

… 그래

몰래 뒤를 밟으며… 지켜 봤지~.

쑥스러워 한다….
왠지 모르게 경계했는데, 평범한 언니였구나….
와-아

자상하다 ~♡
고맙습니다!
고마운가…?

팀원이 늘어난 기념으로 다 같이 사진 찍자♪
좋아!
바다 팀한테 우리 상황도 알려주고 싶으니까.

내가 찍어 줄게~.
예? 유라 선배는요…?

지금 난 이 정도면 충분해~.

찰 카 악
손가락만인데 존재감이 강하다…

마야네한테 답장이 왔어!
…즐거워 보여….
바다는 질려서 거절했는데, 괜히 거절했나?
마야
호텔에서 바다 보는 중

…누구랑 가느냐에 따라 같은 바다도 달라지겠지.
또 가면 좋겠다.

커피 우유… 마실 사람?
나 마실래!!

그럼, 오늘은 알바 양다리 수고했어~.
어떻게 알고…?!
건배~♪

다음 날, 바다 팀
완패다….
여름 햇볕에 졌어.
까무잡

선크림을 제대로 안 바르니 그렇지~.
으~
너무 들뜬 것 같긴 했습니다.

마야는 아주 잘 익었네!
여름을 위해 사는 것 같아.
내가 무슨 빵이랑 매미야?

까무잡
그래!
잘 타는 게 뭐 죄냐?!
나랑 마야는 여름 태생이라고.
샤로!
여기도 한 명 더 있군~.

근데 치야, 그 T셔츠는….
멋지지?
골동품 시장에서 산 거야♪
The 타락천사

나도 조금이라도 더 홍보하려고.
에헴
지금 입게?!
아마우사암
AMAUSA-AN

우리도 뭔가 하는 게….
음~….
우리가 어필을 한다면….

마음 따뜻한 커피를 마실 수 있는 카페 래빗 하우스!
하얗고 보들보들한 털뭉치 토끼도 있답니다!
땡 땡
이 더위에 그건 아니지.

'휴일은 보물' 이라 했거늘.
홍보는 그만 하거라.
그러네!!

치노 태클은 여전히 예리하다니까.
정말 티피가 말하는 것 같지?

바다 참 즐거웠어.
또 다 같이 오자.

그럼, 지금 바로 바다로 렛츠고!
태냥!
너희도 다 태워!
집에 가야지.

벌써 역이네.
순식간에 지나 갔지?

이번엔 고마웠어, 코코아.
답례라면 브라이트 버니 팀에….
그것도 그렇지만,

가자고 안 했으면 시작도 안 했을 테니까.
그래, 맞아!
제안자~!
에… 헤헤….

빠앵
아이, 몰라~!!
그 기차 아냐.

빨리 안 내리면 반대 방향으로 가버린다?
빼꼼

어~이
… 코코아?

어어, 실은….

처어억
마침 좋은 타이밍이라 이대로 본가에 잠깐 들렀다 오려고!
마스터한텐 이미 말해놨어!
뭐어~?!

그런 건 미리 말을 했어야지!
나도 놀러 갈래~!
다들 다른 일정이 있잖아.

하여간 뜬금없긴.
가족들한테 안부 전해줘.
The 타락천사

잠시 후 문이 닫힙니다.
어?

치노까지?!
푸쉬이~아

가버렸다 ….
뭐, 동생으로서 걱정이 되겠지.
앗, 자매라니까 말인데…!

그 사진에 찍힌 손가락, 유라였던 것 같아.
브라이트 버니 팀에 언니가 생긴 건가?

…돌아 가면 내가 숙제도 봐주고… 쿠키도 구워줄게.
아빠~
우린 리제 언니가 있지롱.

유라랑 코코아에 대한 언니로서의 경쟁심?
그런 거예요?
아, 아냐.
그런 게!!

….
치노…
왜 너까지 …?

여… 여름엔 서로 감시하자고
코코아가 말했잖습니까.

그럼 올여름은
서로 감시하자♪

그랬지, 참!!

코코아네 집은 정말 산속이군요….
그치~?
숲에서 헤맨 적은 없습니까?
가끔?
예?!
농담이야. 자아, 다 왔어♪
!
코코아의 안내가 너무 매끈했습니다…!
자기 집을 헤매진 않지!!
감동

와락
치노, 잘 왔어!
코코아, 어서 와!
모카 언니?!
언니!

같이 와줬구나♡
티피도!
오, 오랜만 입니다.
어? 왜 밖에 있어?

막 빵 배달 가려던 참이라.
마을에도 들를 건데 탈래?
스쿠터에 셋은 무리야!

차니까 걱정 마☆
진화 했다!!
Hot Bakery

언니도 참.
집에 오자마자 너무 부려 먹는 거 아냐?
Hot Bakery

차가 못 가는 곳은 우리더러 배달하라니.
두리번
두리번
치노, 피곤하면 말해.

아뇨, 동네 구경이 즐겁습니다.
정말?

코코아가…
살던 곳 이니까요.
Hot Bakery

배달에 다들 기뻐했습니다.
기쁘지, 당연히.
…응?

언니 빵 트럭도 인기 많네.
나도 갑자기 현지인 틈에서요?!
돕자!!

헤이~
동생들~!
너흰 그냥 놀고 있어~.
처음 보는 애도 있네?
웅성
어머, 코코아 집에 왔니?
웅성
단숨에 시선이.

여기까지 왔는데 일해야지!
그리고 치노는 내 동생이거든?
자매 대결?
웅성
숨겨둔 아이?
웅성
오해 받고 있어.

핫 베이커리 신입이구나?
지금만 입니다.
그래서 결국 누구 동생?
예?!

저요!!
아이참.

이 동네엔 코코아가 데려와 줬고,
모카 언니에게 신세 지고 있어요.

흐뭇~~
세 자매구나~.
좋겠다~.
잘 부탁해.
사소한 건 아무래도 상관없구나.

어…
어머?!
네가 치노…?!

갑자기 찾아와 죄송합니다…!
약간의 서프라이즈랄까?
Hot Bakery

약간이 아니지.
아… 아아….
폐라면 잠은 복도에서 자겠습니다.

와아아
무슨 그런 말도 안 되는 소릴 해애애!
이 느낌은 틀림없는 코코아 어머니.

타앗
여기가 내 방이야!
이거 볼래?
?

털썩
치노도 침대로 다이빙 해 봐♪

폴짝
내가 너무 애 같다고 생각….

…뭐라고 했습니까?
에헤헤, 아니~.

코코아, 치노~ 슬슬 씻어야지…?
어머?

치노는 잠들었어.
피곤했나 봐.
깨우기 미안하네.

옷 구겨질 테니 파자마 입혀주자.
내가 입던 거~♪
잠깐.
그건 너무 작아.

옥 신
치노 사이즈는 내가 더 잘 알거든?
코코아 사이즈는 내가 더 잘 안다고!
각 신
Z

첨 바아ㅡ앙
하아~ 언니랑 진짜 간만에 싸웠다.
같이 목욕하는 것도 간만이지?

…미안해, 언니….
엥? 아직도 싸운 게 맘에 걸려?

!
아니… 편지에도 썼다시피 졸업하면 도시로 나간다고 한 거….
옛날엔 언니랑 같은 학교에 간다고 했는데….

그렇구나…
줄
얼
역시 실망한 건가?!

동생아.
이대로 등 대고 얘기할까?
으, 응.

요즘 치노가 점점 앞으로 나가고 있어.
그런 모습을 보니 나도 노력해야 겠단 생각이 들어서.

옛날 넌… 늘 내 뒤만 졸졸 따라다녔는데.
하지만 마음 어딘가에서 이대로는 안 된단 생각이 든 거지?

좋은 모습을 보여주는 게
언니만 있는 건 아니네.

거기서 다양한 가능성을 접하고,
넌 너만이 갈 수 있는 길을 찾은 거야.

알아.
나도 널 보면서 많이 격려 받거든.

언니는 그게 정말 기뻐.

응, 알아!
남 몰래 노력하는 거!
뭐?! 앗?! 그걸 언제 봤어…?!
헤헤~
나도 언니한테 1점은 이긴 것 같다♪

퍼뜩
어느 틈에 잠이….
응…?

벌떡
핫
코코아도 자네?
벌써 밤?!
옷도 안 갈아입고….
바스락
응?

저녁 차리는 것도 못 도와드렸잖아?
치노에게
배고프면
거실에 가봐!
엄마가
첫인상 완전 꽝이다.

일단 거실로 가자.
이 목소리는… 코코아 어머니?

티피, 옛날보다 털이 많이 짧아지고 댄디해졌네?
취해서 티피에게 말을 걸고 있어….

우사기 몫까지 치노를 지켜봐 준 거지?
그 뒤로 바빠져서 보러 가지도 못하고, 미안.

우사기가 있었으면
'초코는 걱정도 팔자'라고 했을 텐데.

초코…?

벌떡
바, 방금 내 애칭을…!
아, 그게 애칭입니까?!
전 그냥 궁금해서….

가볍게 불러 죄송합니다, 어머님.
그 호칭은 너무 거리감 느껴진다.
예?! 그럼, 초코 님?
이모.

초…
초코 이모….

파아아♡
한 번 더 말해봐♡
한 번 더!
역시 닮았어.

코코아가 목조 거리에 간다고 했을 땐… 진짜 깜짝 놀랐어.
?

게다가 우연히 구한 하숙집이 래빗하우스라니.
앨범?

이건….

우리 치노, 커피에 뭘 그리고 있누?
할아버지 흉내~.

크면 되고 싶은 거!
이건 맞춰야 겠는걸?

다 됐다!
오오! 이건!
…힌트는?

…왠지 그리운 꿈을 꿨습니다.
나도 꿨다.

Hot Bakery
언니!
크루아상 보충 좀 해줘!
난 계산대 좀 볼게.
오케이
그쪽은 네가 알아서 해.

내 특제빵이야~
서프라이즈 빵이다~

오늘 코코아 멋지지?
끄덕
끄덕
…네.

헉, 모카 언니?!
코코아, 치노가 있지~.
모카 언니!!
?

!!
잘 어울린다~!
준비되어 있길래… 근데 이거 제가 입어도 됩니까?

도울 수 있는 게 있으면 뭐든….
그냥 거기 있기만 하면 돼♡
마스코트 랄까?
손님들이 또 세 자매라고 하겠다☆

빠안…
핫
엄마.
미안, 실수!
네 자매! 네 자매야.

딱히 난 신경 안 써. 그치? 치노♪
윽, 네.
초…
초코 이모!
어느 틈에 애칭까지 부르는 사이가 됐대!?

커피도 제공하고 있군요.
래빗 하우스의 영향을 받았거든.
Coffee
Surprise Blend ¥
우리 가게 오리지널 블렌딩 커피 강추!!
Caffè Latte ¥
라테아트 노력하겠습니다!
핫
모카도 참. 아직은 안 돼!

번쩍
간신히 흙탕물에서 맑은 물이 된 수준인데.
이번엔 잘할 수 있어!
?
얼른 떼

테라스 손님 서프라이즈 블렌딩 주문이요~.
주문 받았다.
서프라이즈 블렌딩?

감성 가는 대로 섞은 그야말로 서프라이즈 블렌딩이지!
치노가 대신 내려줄래?

서프라이즈 블렌딩은 어떤 걸까~?
커피 나왔습니다.

이곳 빵맛에 맞게 블렌딩 한 건데
입에 맞을지 모르겠습니다….

어머, 신입?
작다~~
동생이에요.
아닙니다.
열심히 내려줬군요?

…어머? 이거 진짜 맛있다…!
저게 진짜 블렌딩 커피….
훌륭한 바리스타네!
모카는 좀 더 갈고 닦아야겠다.

애들은 한가하네.
커피는 아직 쓴 모양입니다.

할아버지의 뒤를 잇고 싶었다고요!
웃지 마십시오!

에잇!
뽀로롱~
비눗 방울?! 지팡이를 갖고 온 겁니까?

그럼, 그 꿈은 이루어진 거네?
아직 멀었습니다.

와~ 마법사다~.
깍
깍
아, 행복해~.
어릴 때 꿈이 마법사였거든.
앗, 웃지 마.

하지만… 지금의 꿈은….

전… '할아버지' 였습니다.
할아버지?!

우우우웅
힉
전화?!
동시에?

래빗하우스

코코아, 도와줘!
리제?!

살려야 해! 멋지잖아!
그만 편하게 보내주자! 트라우마가 될 거야!

이대로 두면 우리 계속 슬픈 괴물을 만들어낼 거라고….
코코아… 우리 이제 어쩌면 좋지?
무슨 소리야?!

뭉게뭉게뭉
티피빵이 잘 구워지질 않아!
그 얘기부터 했어야지!

먹어치워야 할 게 있다면서요, 선배?
배고파.
지원군이 왔다.

헐… 너무 태웠잖아?
나츠메도 그렇게 생각해?

샤로에 이어 마야까지….
능!
빵 얘기 아냐??
태
잘 태운 태닝 콤비네.
바다 가서 나츠메도 왕창 타버려라!

일단 홍차를 우릴게.
아싸~.
×3
내가 없는 데서 다들 즐겁네.
도와달라고~.
굽는 법 알려줘

아마우사암

유라가 아마우사 암에 와 있는데 …
치노! 도와줘!
유라?!

다들 목줄 찬 모습을 보고 싶네?
재밌겠다♪
불길한 소릴 하기 시작했어….
모험적이긴 한데… 나쁘진 않을 것 같아.

후유도 해봐~.
분명 잘 어울릴 거야!
여, 여보세요?!
힉!

여보세요, 치노? 위험한 아마우사 암은 어때?
위험…?!

왠지 후유 혼자 힘든가 봅니다.
리제네도 그런 모양이야.

코코아~!
치노~!

그만 가자.
모두가 기다리니까.

또 놀러와. 우리 코코아 잘 부탁할게.
네, 신세 많이 지고 갑니다.
아잉, 잘 부탁한대~.

있지, 코코아가 쓰는 거 보고 생각이 나서….
치노, 손 좀 내밀어 볼래?

앗~!!
나랑 같은 거?!
옛날에 쓰던 거지만, 이젠 쓸 일이 없으니까.

어?
효자손 대신 쓰던 거 아냐?
가려워~
모카! 쉿~!!

다음엔 우리 집에 놀러 오십시오.
타카히로 씨를 만나면 좀 질투할 것 같아서….
질투?!

언니, 다음에 또 놀러 와. 친구들이 늘었어.
오케이
그럼, 또 모두 동생으로 접수해야지.
아니다, 오지 마.

코코아도 참. 질투 좀 그만해.
본인은 하면서?!
모카, 멋진 운전으로 역까지 좀 바래다주렴.
오케이~!

끼리리리리리릭
멋지게 드리프트를 보여주지☆
야호~♪
안전 운전으로 부탁합니다.

옵
완전 제트 코스터 였습니다….
언니는 볼 때마다 파워풀해 지는 것 같아.

맞은편에 앉지 않을 겁니까?
옆자리가 더 좋아♪
외로움을 잘 타는 군요?

집에 가는 걸 모두에게 직전까지 말하지 않은 것도
말하면 쓸쓸 해져서 그런 거죠?
에헤헤.
치노랑 티피가 따라와 줘서 정말 기뻤어.

덕분에 용기 내서 장래 애기도 했고.
그러니까… 고마워.

방해 된다고 생각하지 않아 다행이다…!
휴
근데 치노,
장래 애기할 때 뭔가 말하려고 하지 않았어?
윽.

그게… 할아버지 뒤는 잇고 싶지만
최근 나만의 카페를 만들고 싶다는 마음이 생기기 시작했 습니다.

아직은 막연 하지만
그게 지금의 꿈 입니다.

그, 그보다 깜빡하고 못 물어 봤는데
쑥스러움 감추기
우리 엄마랑 코코아 엄마는….

쿠
우
울
…이럴 줄 알았습니다. 오늘은 피곤했으니까요.

쭈우——욱

제일 듣고 싶던 말은 들었군.

목적지에 아름다운 희망이 있다면 작별도 행복으로 가는 과정에 불과하지.
그래… 우리 치노라면 이제 괜찮아.

내 자랑스러운 손녀니까.

하하하, 토끼가 된 바리스타라….
응? 재밌어 보였다고? 그럴 리가.

번
쩌억

작가후기
이렇게 또 11권을 구입해 주셔서 고맙습니다.
후유 일행은 목조거리의 여름을, 코코아 일행은 마을 밖의 여름을 경험했네요.
티피에 관한 이야기 전개는 이미 정해져 있었지만, 비슷한 시기에
성우 키요카와 모토무 씨가 세상을 떠나셨습니다.
그분의 일에 대한 자세에 존경과 감사를 표합니다.
이야기를 나누는 동안 티피와 함께한 것 같아 정말 즐거웠어요.
그녀들의 경험과 추억은 아직 계속 쌓여갈 예정이니까
모쪼록 원작도, 미디어 작품도 계속 사랑해주세요.
그럼, 12권에서 다시 만나요.
Koi
Special Thanks
담당 모리무라 님
디자이너 키오 나치 님
애니메이션 스태프 여러분
이 책을 읽어주신
모든 독자 여러분.

주문은 토끼입니까? 11

2024년 07월 08일 초판 인쇄
2024년 07월 15일 초판 발행

저자 : Koi
역자 : 서수진
발행인 : 황민호
콘텐츠2사업본부장 : 최재경
책임편집 : 주어진 / 임효진 / 김영주
발행처 : 대원씨아이(주)

서울특별시 용산구 한강대로 15길 9-12
전화 : 2071-2000·FAX : 6352-0115
1992년 5월 11일 등록 제 3-563호

GOCHUMON WA USAGI DESUKA? 11

잘못 만들어진 책은 구입하신 곳에서 교환해 드립니다.
문의 : 영업 02) 2071-2072 / 편집 02) 2071-2113

ISBN 979-11-7245-253-7 07830
ISBN 979-11-334-0610-4 (세 트)